Ffiniau
Borders

Elin ap Hywel & Grahame Davies

Argraffiad Cyntaf—2002
First Impression—2002

ISBN 1 84323 078 X

Cyhoeddir y gyfrol hon gyda chymorth
Cyngor Celfyddydau Cymru.

This volume is published with the support of
the Arts Council of Wales.

Argraffwyd gan Wasg Gomer, Llandysul, Ceredigion SA44 4QL
Printed in Wales at Gomer Press, Llandysul, Ceredigion SA44 4QL

Cyflwynedig
i'n rhieni ni ein dau

Cynnwys

Rhagair gan Bryan Martin Davies viii

Cydnabyddiaeth xii

Nodyn yr Awdur xiv

Cawl 1

Coch 3

Duwiesau 5

Gwyrddni 7

Galvanic 11

Villanelle y Cymoedd 15

Diosg 17

Dynion oddi Cartref 19

Wedyn 21

Tywyllwch 23

Deall Goleuni 25

Atgof Amser Coll 27

Llatai 29

Penrhys 33

Adroddiad 35

Y Mynyddoedd 37

Defnyddiol 39

Rough Guide 41

Aur 43

Tomb Raider 47

Glas 51

Calan Haf 53

Blodyn 55

Y Ddawns 57

Unwaith 61

Ar y Rhandir 63

Pwytho 65

Gwreichionen 67

Bywyd Llonydd 71

Llun Casglu 73

Yn Nhŷ Fy Mam 75

Y Blaenau 79

Contents

Foreword by Bryan Martin Davies	ix
Acknowledgements	xiii
Author's Note	xv
Soup	2
Red	4
Goddesses	6
Greenness	8
Galvanic	12
Valley Villanelle	16
Disarming	18
Men away from Home	20
Afterwards	22
Darkness	24
Understanding Light	26
Remembrance of Things Past	28
Messenger	30
Penrhys	34
Owl Report	36
The Mountains	38
Really Useful	40
Rough Guide	42
Gold	44
Tomb Raider	48
Blue	52
Summer Solstice	54
Flower	56
The Dance	58
Once	62
On the Allotment	64
Stitching	66
Spark	68
Still Life	72
Collect Picture	74
In My Mother's House	76
Y Blaenau	80

Rhagair

Y mae llunio rhagair i'r gyfrol hon fel ysgrifennu geirda i berson, neu yn hytrach i ddau berson, sydd eisoes wedi ymgeisio am swydd, wedi llwyddo ar y cyfweliad, ac wedi ei chael. Y gwir yw fod dau fardd *Ffiniau* wedi hen sefydlu eu hunain yn ein llenyddiaeth, ac yn cael eu hystyried ymhlith beirdd disgleiriaf eu cenhedlaeth. Ar ddiwedd y saithdegau a dechrau'r wythdegau roedd Elin a Grahame yn fyfyrwyr yng Ngholeg Chweched Dosbarth Iâl, Wrecsam, ymhlith nifer fach o Gymry Cymraeg mewn sefydliad Seisnig ei naws ar y gororau hyn. Fy ngwaith i oedd paratoi myfyrwyr ar gyfer arholiadau Lefel A yn y Gymraeg, a'r rheini yn ddysgwyr gan mwyaf. Eithriadau prin, ond gwerthfawr y tu hwnt, oedd y nifer fach a astudiai'r pwnc fel iaith gyntaf yn y Coleg, ac yr oedd Elin yn aelod o ddosbarth bach hyfryd o ferched a wnâi hynny yn frwd ac yn ddawnus. Nid oedd y Gymraeg yn un o bynciau Grahame, ond yr oedd yn un o'r myfyrwyr yn fy ngrŵp tiwtorial, ac yn Gymro Cymraeg o Goedpoeth. Roedd y ddau ohonynt, yn eu gwahanol gyfnodau yn y Coleg, yn amlygu diddordeb dwfn yng nghelfyddyd barddoniaeth, ac weithiau, mewn cryn swildod, yn dangos cerddi o'u gwaith i mi. Roeddwn wrth fy modd, wrth gwrs, yn ceisio meithrin yr addewidion pendant hyn cystal ag y gallwn. Braint fawr i mi, wedi chwarter canrif bron, yw gweld y gyfrol hon, a luniwyd ar y cyd, gan y ddau fardd ysgytwol hyn, a fu yn eu hieuenctid yn byw yn ardal Wrecsam.

Y maent yn feirdd gwahanol iawn i'w gilydd, ac y mae hynny yn rhoi amrywiaeth gyffrous i'r gyfrol. Bardd myfyrdodus, dwys, gwbl unigryw ei chrefft a'i harddull yw Elin. Mae hi'n arbennig o sylwgar a sensitif i droeon bywyd, yn enwedig i'r eironïau bach hynny na all ond y gwir fardd eu canfod. Llwydda i fod yn anuniongyrchol ei mynegiant, ac fe rydd hynny yr awgrymusedd cyfoethog hwnnw sy'n nodwedd mor drawiadol o'i chelfyddyd. Bardd o ddychanwr deifiol yw Grahame, bardd a all weld trwy ragrith ei gymdeithas, gan lwyddo i'n dinoethi, bob un ohonom, gan gynnwys ei hun, mewn ieithwedd a delweddau cyhyrog. Ac eto, y mae rhyw addfwynder, rhyw gydymdeimlad dwfn y tu ôl i'r gonestrwydd digyfaddawd sy'n nodweddu ei gerddi treisgar. Bardd a all grafu ein cydwybod ydyw, math ar Ellis Wynne ein cyfnod ni, ond a all hefyd roi eli ar y briw.

Foreword

Writing a preface to this book is rather like writing a reference for a person, or rather for two people, who have already applied for a post, have passed the interview and got the job. In fact the two poets whose work is published here have long been established in our literature, and are considered among the most brilliant of their generation.

At the end of the seventies and the beginning of the eighties Elin and Grahame were students at Yale Sixth Form College, Wrexham, two among a small number of Welsh-speaking students in an Anglicised institution on the border. My work was to prepare students for A-level exams in Welsh, and my students were mainly Welsh learners. Those who studied the subject as a first language were rare, but treasured, exceptions and Elin was one of a small but delightful class of female students who did so with enthusiasm and flair. Although Welsh was not one of Grahame's subjects he, a Welsh speaker from Coedpoeth, was one of the students in my tutorial group. During their time at the College each showed a deep interest in the craft of poetry and they would sometimes, diffidently enough, show their poetry to me. I of course was more than glad to try to foster these definite signs of promise as well as I could. After almost a quarter of a century it is a great honour to see this co-publication by these two breathtaking poets, who both lived in the Wrexham area in their youth.

As poets each is very different, lending an exciting variety to this volume. Elin is a profound and reflective poet, quite unique in her craft and style. She is particularly attentive and sensitive to the vagaries of life, especially those small ironies that only the true poet can perceive. The oblique quality of her writing gives her work that rich significance which is such a striking aspect of her art. Grahame is a scathing satirist, a poet who can see through society's hypocrisy, laying each one of us, including himself, bare in muscular language and images. And yet there is also a gentleness here, a kind of deep compassion behind the uncompromising honesty which characterises his violent poems. Here is a poet who can prick our consciences, a kind of Ellis Wynne for our times, but one who also rubs salve on the wound.

Y mae *Ffiniau*, yn fy marn i, yn gyfraniad o bwys i gelfyddyd barddoniaeth Gymraeg ar ddechrau'r trydydd mileniwm, ac y mae'n anrhydedd i mi i gael y cyfle i ddweud hynny, ac i gael adnabod y beirdd gwefreiddiol hyn.

Bryan Martin Davies

Borders, in my opinion, is an important contribution to Welsh-language poetry at the beginning of the third millennium. It is an honour for me to have the opportunity of saying so, and to know these dazzling poets.

Bryan Martin Davies

Cydnabyddiaeth

Mae'r cerddi a ganlyn, a'r cyfieithiadau ohonynt, eisoes wedi ymddangos mewn cyhoeddiadau eraill:

Elin ap Hywel: 'Adroddiad', 'Aur', 'Glas' ac 'Yn Nhŷ fy Mam' yn Raine Crowe, T. (gol.) *Writing the Wind: a Celtic Resurgence* (New Native Press, 1997); 'Cawl', 'Deall Goleuni', 'Defnyddiol' a 'Duwiesau' yn Davies, G. & Wack. A. (goln.) *Oxygen* (Seren, 2000). Comisiynwyd 'Glas' yn wreiddiol gan HTV. Grahame Davies: 'Dynion Oddi Cartref', 'Y Ddawns', 'Penrhys', 'Coch', 'Atgof Amser Coll', 'Gwreichionyn', 'Villanelle y Cymoedd', 'Llun Casglu' a 'Tywyllwch' yn *Cadwyni Rhyddid* (Barddas, 2001); 'Ar y Rhandir' a 'Gwyrddni' yn *Adennill Tir* (Barddas, 1997); 'Rough Guide' yn *Poetry London*; 'Tomb Raider' yn *Golwg*. Ymddangosodd cyfieithiadau 'Coch' a 'Villanelle y Cymoedd' gyntaf yn Davies, G. & Wack, A. (goln.) *Oxygen* (Seren, 2000).

Acknowledgements

The following poems and their translations have previously appeared elsewhere:

Elin ap Hywel: 'Adroddiad', 'Aur', 'Glas' and 'Yn Nhŷ fy Mam' in Raine Crowe, T. (ed.) *Writing the Wind: a Celtic Resurgence* (New Native Press, 1997); 'Cawl', 'Deall Goleuni', 'Defnyddiol' and 'Duwiesau' in Davies, G. & Wack. A. (eds.) *Oxygen* (Seren, 2000). 'Glas' was originally commissioned by HTV. Grahame Davies: 'Dynion Oddi Cartref', 'Y Ddawns', 'Penrhys', 'Coch', 'Atgof Amser Coll', 'Gwreichionyn', 'Villanelle y Cymoedd', 'Llun Casglu' and 'Tywyllwch' in *Cadwyni Rhyddid* (Barddas, 2001); 'Ar y Rhandir' and 'Gwyrddni' in *Adennill Tir* (Barddas, 1997); 'Rough Guide' in *Poetry London*; 'Tomb Raider' in *Golwg*. The English translations of 'Coch' and 'Villanelle y Cymoedd' first appeared in Davies, G. & Wack, A. (eds.) *Oxygen* (Seren, 2000).

Nodyn gan yr Awduron

Man cychwyn *Ffiniau* oedd sgwrs mewn Stomp Farddoniaeth yn Eisteddfod Llanelli. Rhywle ar y ffordd rhwng y bar a'r byrddau, mewn awyrgylch a oedd yn feddwl gyforiog â phosibiliadau mwyaf creadigol ac amrywiol barddoniaeth, y ganed y syniad am gyfrol o farddoniaeth a chyfieithiadau ar y cyd.

Roeddem eisoes yn gwybod am waith ein gilydd, ac wedi trafod ein magwraeth yn yr un rhan o ogledd-ddwyrain Cymru a'n gyrfaoedd addysgol digon tebyg. Ffactor arall hynod o bwysig oedd edmygedd y ddau ohonom tuag at y bardd Bryan Martin Davies, a'r rhan allweddol roedd ei anogaeth ef wedi chwarae wrth i ni'n dau fagu hyder i sgwennu yn y lle cyntaf. Dyma ddechrau ystyried wedyn sut roedd y cefndir cyffredin hwn wedi llunio a chyfeirio dwy ffordd o farddoni a oedd mor wahanol i'w gilydd o ran mynegiant, ac eto'n gorgyffwrdd yn aml o ran themâu ac o ran ysbryd.

Ffrwyth cydweithio ar y lefel ehangaf bosibl yw'r cyfieithiadau. Weithiau rydym wedi trosi ein gwaith ein hunain, weithiau rydym wedi trosi gwaith ein gilydd. Weithiau mae'r cyfieithiad yn asiad o elfennau gorau dwy fersiwn. Cyfieithwyd dwy gerdd 'sha nôl' o'r Saesneg i'r Gymraeg. Cynnyrch cyd-drafod dros y we a thros baneidiau mewn caffis yw pob un ohonynt. Dwy o'r ystyriaethau amlycaf a oedd yn gyrru'r gwaith cyfieithu oedd yr ymchwil barhaus i gyrraedd y Greal Sanctaidd hwnnw, yr union air, a'r ymwybyddiaeth mai cerddi i'w clywed yw'r rhain, naill ai ym mhen y darllenydd unigol neu o flaen cynulleidfa. Yn y broses daethom i ddeall yn well sut mae ein cerddi ein hunain, yn ogystal â cherddi ein gilydd, yn 'gweithio'. A daethom i ddeall o'r newydd, hefyd, mai yn y clywed – ac ym mharodrwydd rhywun arall i wrando – y gorwedd ynni'r gerdd, boed yn yr iaith wreiddiol neu ar ei newydd wedd.

Authors' Note

The seeds of this volume were sown during a Poetry Slam at the Llanelli Eisteddfod two years ago. At an event celebrating Welsh poetry at its most varied and unplugged, somewhere between one trip to the bar and another the idea of a collaborative book of poetry and translations was born.

We were already aware of each other's work, and had talked about our upbringing in the same part of north-east Wales and our parallel school and college careers. Another important factor was the admiration we both felt for the poet Bryan Martin Davies, and the pivotal part his encouragement had played for us both as we began to write and to publish our work. We then began to wonder how this shared background might have shaped and directed two ways of writing which are very different in expression, and yet often overlap thematically and in spirit.

The translations are the result of working together in the widest possible sense. Sometimes we have translated our own work, sometimes each other's. Sometimes the translation is a fusion of the best elements of two versions. Two poems were translated 'backwards' from English into Welsh. They are all the result of long discussion via e-mail and in cafés. The most important impetus driving the translations was the constant attempt to find that Holy Grail of translation, the *mot juste*, and also the awareness that these are poems to be heard, either in the individual reader's head or in front of an audience. In the process we came to a better understanding of how our own poems, as well as each other's, 'work'. We also came to understand anew that the poem's energy, either in the original language or in translation, lies in the hearing – and in the willingness of other people to listen.

CAWL

Nid cerdd am gawl yw hon –
nid cerdd am ei sawr, ei flas na'i liw,
na'r sêrs o fraster yn gusanau poeth
ar dafod sy'n awchu ei ysu.

Nid cerdd am gawl yw hon,
am frathiad o foron tyner,
am sudd yn sugnad safri, hallt
na'r persli'n gonffeti o grychau gwyrdd.

Dim ond cawl oedd e wedi'r cyfan
– tatws a halen a chig a dŵr –
nid *gazpacho* na *chowder* na *bouillabaisse*,
bisque na *velouté* neu *vichyssoise*.

Nid cerdd am gawl yw hon
ond cerdd am rywbeth oedd ar hanner ei ddysgu –
pinsiaid o rywbeth fan hyn a fan draw,
mymryn yn fwy neu'n llai o'r llall
– y ddysgl iawn, llwy bren ddigon hir –
pob berwad yn gyfle o'r newydd
i hudo cyfrinach athrylith cawl.

Nid cerdd am gawl yw hon o gwbl
– nid cerdd am gawl, nac am ddiffyg cawl:
dim oll i'w wneud â goleuni a gwres,
y radio'n canu mewn cegin gynnes
a lle wrth y bwrdd.

EapH

SOUP

This is not a poem about soup –
not the colour of soup, its smell, its taste,
nor its stars of fat – searing kisses
on a tongue just aching to burn –

this is not a poem about soup,
the delicate bite of carrots,
the savoury, salt suck of liquid,
the parsley like crumpled green confetti.

After all, it was only soup
– potatoes and meat and water and salt –
not gazpacho nor chowder nor bouillabaisse,
bisque or velouté or vichyssoise.

This is not a poem about soup,
but a poem about a thing half-learnt:
a pinch of something here and there
a soupçon more of this or that
– the one right bowl, a long enough spoon –
each boiling another chance
to witch the secret genius of soup.

This is not a poem, at all, about soup –
not a poem about soup, or the lack of soup;
nothing to do with heat and light,
the radio humming in a warm kitchen,
a place at the table.

EapH

2

COCH

Ti'n gosod yr olewyddion gyda'r *feta*,
a rhoi'r *ciabatta*'n barod at y cwrdd;
agor y coch, a dyro'r gwyn i oeri
a chynnau'r gannwyll bersawr ar y bwrdd.

Rhyw *antipasto* bach i godi archwaeth,
a chwlffyn o *baguette* o Ffrainc gerllaw;
rhyw beth fel hyn yw trafod achub Cymru
yn CF Un* ym mil naw nawdeg naw*

Tybed pa beth a wnâi o hyn, dy dad-cu,
a heriodd garchar er mwyn Yncl Joe,
yr un a gadwodd faner goch y chwyldro
i chwifio drwy dridegau'r pentref glo?

Yr un a aeth i Rwsia ar wahoddiad
i dderbyn Sofietaidd ddiolch-yn-fawr,
a dod yn ôl â cherflun bach o Lenin
sy'n addurn uwch dy silff-ben-tân di 'nawr.

Yr un enillodd lid y rhecsyn lleol
am gyfarfodydd gweithwyr yn ei dŷ.
Tybed pa beth feddyliai ef o wyres
sy'n nashi dosbarth-canol bach fel ti?

Tybed yn wir. Ond merch dy dad-cu wyt ti:
dau o'r un brethyn mewn gwahanol ffyrdd,
yn ceisio cuddio creithiau anghyfiawnder
drwy beintio'r byd i gyd yn goch – neu'n wyrdd.

GD

* CF1 yw côd post canol Caerdydd, sy'n cynnwys yr ardal ffasiynol lle gosodir
y gerdd hon.

RED

You set the olives down beside the *feta*,
and make sure the *ciabatta*'s looking nice.
You light the perfumed candle for the meeting,
open the red wine, put the white on ice.

A little *antipasto* to begin with;
a French *baguette* to soak up all that wine;
this is the way we meet to save our nation
in CF One* in nineteen ninety nine.

I wonder what he'd make of this, your grand-dad,
who risked a prison cell for Stalin's sake,
the one who raised the red flag in the valleys,
the man the hungry thirties couldn't break?

The one who got invited out to Russia
to get the Soviets' thank-you face to face,
and came back with a little bust of Lenin,
that's now an ornament above your fireplace.

The one who earned the local rag's displeasure
for calling meetings to arouse the mass,
I wonder what he'd make of his descendant:
Welsh-speaking, nationalistic, middle-class?

I wonder. But you're still so like your grand-dad:
cut from the same cloth, just by different means,
trying to cure the evils of injustice
by painting all the world in red – or green.

GD

* CF1 is the postcode for central Cardiff which includes the fashionable district
where this poem is set.

DUWIESAU

Duwiesau Cymru –
duwiesau'r banadl, y deri, blodau'r erwain,
yr esgyrn sychion, ewinedd yn y blew –

nid y chi oedd yn camu trwy 'mreuddwydion
flynyddoedd yn ôl yn fy ngwely hogan-ysgol,

ond mân-dduwiesau llyweth y mynd a'r dod
a gwafrai'n anwadal drwy chwedlau Rhufain a Groeg
yn enfys am eiliad, ac yna yn nant neu'n llwyn,
wastad rhwng dau feddwl a dwy ffurf,
yn plesio rhyw ddyn, yn cuddio rhag rhyw dduw,
yn newid eu henwau a'u hunain fel newid lipstic:
Echo, Eos, Psyche – merched chweched dosbarth
yn chwerthin tu ôl i'w gwalltiau newydd-eu-golchi.

Dod i ddeall eich ffyrdd chi wnes i
yn araf, anfodlon, yn gyndyn fel boddi cathod,
gyda phob clais a welais, pob cusan wag,
pob modrwy yng nghledr llaw, dod i ddeall dicter –
sawru'r gwaed ar y dwylo a gwres y tŷ haearn,
clywed penglogau plant yn glonc yn y gwynt.

Freninesau'r gwyllt, y lloerig, y pobl o'u coeau,
y distawrwydd anghynnes, yr anesmwythyd mawr
– ry'ch chi'n cadw cwmni heno yn nâd y newyddion,
yn stelcio drwy'r stafell yn eich gynau sidan carpiog.
Mae blinder y blynyddoedd yn friw dan eich llygaid
a'ch crwyn yn afalau crychion;

ond mae'r fellten a'r daran yn drydan yng nghwmwl eich gwalltiau,
barclodiad rhyw gawres yn gengl o amgylch eich boliau
a meillion eich dicter gwyn yn dynn wrth eich sodlau.

Ynysoedd gwŷr cedyrn sy'n dymchwel wrth odre eich peisiau.

EapH

5

GODDESSES

Goddesses of Wales –
goddesses of broom, and meadowsweet and oakflower,
dry, rattling bones, claws buried deep in fur –

you weren't the ones who wobbled,
years ago, through my dreaming schoolgirl head.

I worshipped the little sprites, the come-day, go-day,
quavering through the myths of Greece and Rome,
a rainbow one minute, the next a spring or tree,
wavering between two minds, two bodily forms,
trying to please some man, hide from some god,
changing their names, their selves, like choosing lipstick.
Echo, Eos, Psyche – sixth-form nymphettes,
giggling behind their freshly shampooed hair.

I came to our goddesses slowly,
dragging, reluctant, painful like drowning kittens.
With every bruise I've seen, each empty kiss,
each fallen ring, become apprentice Fury –
smelt the blood on your hands, the heat of the iron,
heard the skulls of children knocking on wind.

Goddesses of wild, mad, grief-stricken people,
of enormous silence, of terrible, unsaid things –
you're here tonight in the thin sound of the news,
stalking the room in your ragged silken gowns,
bone-weariness a bruise under shadowed eyes,
your skin crabbed like old apples –

yet lightning and thunder sing through your clouded hair,
your aprons gigantic knots around sagging bellies
white clovers of anger still bloom in the print of your shoes.

In the sweep of your petticoats kingdoms crash and are gone.

EapH

6

GWYRDDNI

Mae newydd fy nharo.
'Dwi ddim yn eu deall, y geiriau cyfarwydd hyn:
masarnen, banadl, ysgawen,
briallu Mair, cerddinen,
a chymaint o rai tebyg y deuwn ar eu traws
yng ngherddi cydwladwyr.

Peidiwch â 'nghamddeall –
nid problem iaith yw hon;
mi wn mai planhigion neu goed yw'r rhain,
darllenais y geiriau droeon
mewn cerdd neu ysgrif.

Ond dyna'r pwynt: eu darllen yn unig.
A welais gerddinen erioed?
Dwn i ddim.
A ydw i wedi arogli banadl?
O bosib
ond ni wn i sut mae'n edrych hyd yn oed.
Neu gyffwrdd â rhisgl masarnen?
Ni fyddwn yn 'nabod un pe bai'n cwympo arnaf.

Nid bod peryg o hynny yn ein cwm ni;
nid yw'r fandaliaid lleol
yn gadael i unrhyw goeden
dyfu yn uwch na nhw.

Ond mae tyfiant yma, oes:
gwellt yng nghraciau'r erwau concrid
lle safai'r gwaith haearn;
glaswellt byr y parc,
a'i sawr ar bnawniau segur yr haf
yn gymysg â hoglau baw cŵn;
a'r hirsgwar bach twt o lawnt newydd
tu fas i unedau gloyw'r stad ddiwydiannol wag,
yn frown fel amlen budd-dâl.

GREENNESS

It's just struck me.
I don't really understand these familiar words:
maple, broom, elder-tree,
cowslips, mountain ash,
and so many others like them
that I come across
in my compatriots' poems.

Don't misunderstand me;
this isn't a problem of vocabulary;
I know that these are plants or trees
– I've come across the words a hundred times
in essays and lyrics.

But that's just the point:
I've only read them.
Have I ever seen a mountain ash?
I don't know.
Have I ever smelt broom?
I may have.
But I've no idea what it even looks like.
Have I touched the bark of a maple?
I wouldn't know one if it fell on me.

Not that there's any danger of that here;
the local vandals won't allow any tree
to overtop them.

But things grow here just the same:
dried grass in the cracks of the concrete acres
where the ironworks stood;
the park's cropped grass,
its scent on long summer afternoons
fragranced with dogs' faeces,
and the tidy rectangle of new lawn around the shiny units
on the empty industrial estate,
brown as a benefit envelope.

Mae gwyrddni wedi hen gilio i gyrion fy myd,
a'i eirfa gydag ef;
rhimyn o flerwch ar hyd ffordd osgoi;
rhywbeth i yrru drwyddo o dref i dref
yw natur i mi.
Dirgelion dienw yng nghilfachau'r cof,
chwyn anhysbys ar lan y nant anghofiedig
sy'n rhedeg mewn cwlfert cul
yng nghefnau'r tai
drwy'r dref.

GD

Greenness has long ago retreated
to the edges of my world,
its words with it;
a tangle fringing the bypass.
Nature to me is something
to drive through on my way from town to town;
unnamable secrets in the corners of the mind,
anonymous weeds on the banks of a forgotten stream
running through its narrow culvert behind the houses
through the town.

GD

GALVANIC

Dyw'r un o'r ddau –
nid y gweinidog tecnoffobig
na'i ferch agnostig
– er gwaethaf ei gwersi ffiseg –
yn deall y meicrodon.

Dy'n nhw ddim yn deall o ble y daw'r gwres.

'Mae'n debyg i ffydd,' medd y ferch –
'mae'n ddi-sŵn,
yn ddi-oglau,
yn ddi-liw,
ac eto, rywsut, mae'n newid pethau.'

Ac mae'n wir.
Mae rhyw rym anweledig
yn chwarae mig â'r molecylau
nes trawselfennu pysgodyn a thorth
yn god mewn briwsion crenslyd, poeth.

Y drafferth yw, mae cymaint o reolau.
Rhaid tyllu crwyn pethau croen-drwchus
Rhaid amddiffyn crwyn pethau croen-denau
ond NID gyda ffoil, neu fel arall
bydd y cyfan yn ffrwydro neu'n chwythu'i blwc.

Mae'r ddau yn sefyll ar drothwy'r Nadolig
yn syllu'n ddiddeall ar y wyrth.

Dyma ei breuddwyd: rhyw noson
daw adre'n hwyr. Yn y gegin
daw'r unig oleuni o fol y ffwrn
lle mae taten bob yn pirŵetan drwy'r gwagle
yn disgwyl y *ping* terfynol, pendant.

Ar bob plât, ar y bwrdd, ar y cownter
ar ben y bin bara, ar y ffridj, ar y llawr,
arlwyodd ei thad y wledd –

GALVANIC

Neither of them –
not the technophobic vicar
nor his dim, agnostic daughter
– despite years of physics lessons –
understands the microwave oven.

They don't understand where the heat comes from.

'It's a bit like faith,' says the girl –
'it's invisible,
colourless,
it smells of nothing –
and yet, somehow, it changes things.'

And it's true.
Some unseen force
reconfigures mass and molecules,
transubstantiating fish and flour
to cod in crispy, steaming breadcrumbs.

The trouble is, there are so many rules.
Thick-skinned foodstuffs must be pierced with a fork,
thin-skinned ones protected
but NOT with foil, or everything
will either explode or fall in on itself.

They stand, these two, on the threshold of Christmas
and stare, blank-faced, at the miracle.

This is her dream; some night
she comes home late. In the kitchen
the only light is the oven-belly
where a jacket potato pirouettes through space
awaiting the firm and final *ping*.

On the plates, the table, the counter
on the bread bin, the floor, the fridge
her father has spread out the feast –

pwdin yn emog o gyrens a cheirios,
llifeiriant o gwstard,
Teitanic o dwrci,
llond Eden o lysiau gwyrdd.

Dan lygad treiddgar yr ynni gwyn
mae'n tynnu ei chadair ac yn dechrau cymuno.

EapH

a Christmas pudding studded with fruit,
a flood of custard,
a Titanic turkey
an eden of vegetables, fresh and green.

Bathed in unblinking, incandescent light
she draws up her chair, picks up her cup.

EapH

VILLANELLE Y CYMOEDD

Rwy'n gweld mai teithio ydy pwrpas taith;
rwy'n dechrau deall castiau ysbryd Duw,
a gweld mai ennill ffydd yw colli'r ffaith.

Rwy'n gweld brawdgarwch dyddiol bro ddi-waith,
yr hiwmor du a'r jocian yn y ciw,
rwy'n gweld mai teithio ydy pwrpas taith.

Gweld plant y dôl yn gweithio dros yr iaith,
y Cymoedd yn pleidleisio 'Ie' yn driw,
a gweld mai ennill ffydd yw colli'r ffaith.

Tro ar y mynydd wedi diwrnod gwaith;
y fam yn cario'i babi 'lan y rhiw,
'rwy'n gweld mai teithio ydy pwrpas taith.

Rwy'n dechrau deall gras sy'n diodde'r graith,
a deall fel mae marw er mwyn byw;
a gweld mai ennill ffydd yw colli'r ffaith.

Rwy'n teimlo'r gwynfyd yn y gwacter maith
a bendith losg yr halen ar y briw.
Rwy'n gweld mai teithio ydy pwrpas taith,
a gweld mai ennill ffydd yw colli'r ffaith.

GD

VALLEY VILLANELLE

I see that it's to journey that we go;
I'm starting to discern the spirit's way,
I see it's only faith if you don't know.

The daily comradeship of men brought low,
the dole-queue jokes while waiting for your pay,
I see that it's to journey that we go.

The jobless kids who help the language grow,
the Valleys voting 'Yes' to have their say,
I see it's only faith if you don't know.

A walk up to the mountain for a blow:
the mother takes the baby out to play;
I see that it's to journey that we go.

I see, through grief, the grace that lies below,
and how, to live, you give your life away;
I see it's only faith if you don't know.

The burning blessing when the answer's no;
the stinging balm of silence when I pray.
I see that it's to journey that we go.
I see it's only faith if you don't know.

GD

DIOSG
(o gyfres 'Rhiannon')*

Tynnu ei arfau oedd y ddefod orau.

Disgleiriai'r darnau dur wrth ddiasbedain,
cen wrth gen, i'r llawr.

Diarchenais ef
o deulu, llwyth, cymydau, câr a gwlad.

Cramen wrth gramen, symudais
haenau o'i hanes ohono

hyd y llurig olaf, lle gorweddai
fy llaw yn y gofod tynn rhwng metel a chnawd.

EapH

---

* Cyfres o gerddi sy'n dychmygu meddyliau Rhiannon wrth iddi eistedd ger y
porth i lys Pwyll, yn disgwyl cludo teithwyr ar ei chefn.

DISARMING
(from the 'Rhiannon' sequence)*

Removing his armour: the best ritual of all.

The steel shines as it falls, clattering,
shell by shell to the floor.

I disarm him
of family, province, country, tribe and kin.

Scale by scale, I strip
layers of his story from him

to the last greave, where my hand lies
in the chink between metal and flesh.

EapH

---

* A sequence of poems based on the First Branch of the Mabinogion. It imagines Rhiannon's thoughts as she sits by the entrance to her husband's court, waiting to carry travellers on her back as a punishment for the alleged murder of her own son.

DYNION ODDI CARTREF

Mae gen i gyfrinach
am yr hyn mae dynion yn ei wneud
pan maen nhw oddi cartref,
yn bell o olwg hollwybodus y wraig
a chlebar y plant.
Mae gen i gyfrinach am yr hyn a wnânt
pan maen nhw'n crwydro oddi cartre,
yn griw o hogiau mewn byd dibartner –
mewn byddinoedd, timau rygbi, gangiau gwaith.
Wnân nhw fyth gyfaddef wrthych chi na neb,
gan ormod cywilydd,
yr hyn a wnânt
â merched bach,
a bechgyn weithiau,
hyd yn oed â chŵn.

Sef . . .
eu mabwysiadu,
tynnu wynebau,
chwarae â nhw,
eu hymgeleddu,
yn fyr, bod yn dadau am y tro.

Addewais i gyfrinach ichi, yn'do?

GD

MEN AWAY FROM HOME

I have a secret
about the things men get up to
when they're away from home
far from the wife's all-knowing gaze,
the children's chatter.
I have a secret about the things they do
while they're wandering, a.w.o.l.,
lads in a wifeless world –
in rugby teams, work gangs, armies.
Ashamed, they'd never admit
the things they do
with little girls,
little boys sometimes,
even, occasionally, with dogs.

That is,
to adopt them
pull faces at them
play with them
care for them
– in short, to be a 'father' kind of guy.

I promised you a secret, didn't I?

GD

WEDYN

Daeth y meddyg –
rhoddodd y fodrwy
yn llaw y dyn.

Gorweddai yno –
ei bywyd hi
yn gylch gloyw
yng nghledr ei law.

EapH

AFTERWARDS

The doctor came –
he put the ring
in the man's hand.

It lay there –
her life
a bright circle
in the palm of his hand.

EapH

TYWYLLWCH

Ar ben y stâr, gyda'r nos,
y petruso, yr aros;
y llais bach wrth gyrchu'r gwyll:
'Tyrd gyda mi – mae'n dywyll.'

A dringaf, a rhoddaf law,
ac awn ymlaen yn ddistaw;
a dirgelwch y drws du
drwy gariad yn diflannu.

Ar ben fy mlynyddoedd i,
y petruso, yr oedi.
Wrth syllu i'r gwacter hyll:
'Tyrd gyda mi – mae'n dywyll.'

Yn unig, dringaf yn uwch,
gan estyn llaw i'r düwch,
gan ddisgwyl, ar y trothwy,
i law gynnes ei chymryd hi.

GD

DARKNESS

At the landing door at night,
the hesitancy, the fright;
the small voice from the top stair
'Come with me – it's dark there.'

And I go, give my hand to her,
and up we go together;
and the mystery of the black door
through love scares her no more.

At my own life's dark doorway,
the hesitancy, the delay.
As I look towards nowhere,
'Come with me – it's dark there.'

Alone, I climb to the door
with one hand out like before,
and wishing at the threshold
for someone's warm hand to hold.

GD

DEALL GOLEUNI

(er cof am yr arlunydd Gwen John)

Weithiau, ar bnawniau Sul, a'r golau'n oer
mae hi'n gweld ei hwyneb am yr hyn ydi o –
yr haul yn ysgythru esgyrn ei chernau,
a chylchoedd y blynyddoedd dan ei llygaid.

Ben bore, yn yr offeren
– a'r lleill wrth eu pader mewn byd sy'n llawn goleuni –
mae hi'n syllu ar y plygion
yng ngwempl y lleian o'i blaen.
Sut gall lliain gwyn fod yr un lliw â llwch?

Neithiwr, wrth wawl y lamp, gosododd
dorth o fara a chyllell ar y bwrdd,
a chyn bwyta, codi ei phensel.

Heno, bydd hi'n gorffen y braslun,
yn tynnu llun y gath a'r gadair simsan.
Gŵyr y bydd gwallt y ferch sy'n plygu tua'r golau
yr un lliw â diferyn o waed sy'n araf sychu.

EapH

UNDERSTANDING LIGHT
(*in memory of the artist Gwen John*)

Sometimes, on Sunday afternoons in a north light
she sees her face for what it really is –
a cold sun etches a cheekbone,
figuring the year's circles under her eyes.

At mass this morning
– others at prayer in a world of light –
she stares at the folds
in coif and wimple.
How can linen be the colour of ash?

Last night, by lamplight, she placed
a loaf of bread, a knife, on the table
and before eating picked up her pencil.

Tonight she will finish the sketch.
She will draw the cat, the rickety chair.
She knows the girl's head against the light will be
the colour of a drop of blood, drying.

EapH

ATGOF AMSER COLL

I Marcel Proust yn Ffrainc, bisgeden fach
a ddaeth â blas y dyddiau coll yn ôl;
wrth frathu hon, gadawodd hyn o fyd
â briwsion ei orffennol yn ei gôl.

I finnau, nid bisgeden amser te
sy'n pontio amser fel i M'sieur Proust
ond brechdan facwn gyda *ketchup* coch
yn frecwast hwyr yng nghaffi bach Llanrwst.

Cychwynnwn waith am chwech i lwytho'r fan
â bara ffres o'r popty yng Nghoedpoeth,
a gyrru allan drwy'r boreau oer
â'r llwyth yng nghefn y fan o hyd yn boeth.

A 'rôl cyflenwi holl dafarnau'r fro
a'r caffis gyda'u bara, stopio wnawn
am frecwast hwyr o frechdan facwn dwym
a mwg o de, i'n cadw tan y pnawn.

A bellach, pan gaf frechdan facwn fawr
daw'r dyddiau coll i mi, fel M'sieur Proust,
a minnau'n bymtheg oed, a'r bore'n oer,
a sawr cig moch mewn caffi yn Llanrwst.

GD

REMEMBRANCE OF THINGS PAST

For Marcel Proust, remembrance of things past
was brought back by a simple madeleine,
and with its taste he left the world of time
with crumbs of childhood in his lap again.

For me, it's not a biscuit with my tea
that brings remembrance, as for M'sieur Proust,
but a bacon sandwich with tomato sauce
as breakfast in a cafe in Llanrwst.

We'd start our work at six to load the van
with hot bread from the ovens before dawn,
then drive it out through freezing country lanes,
the load of bread behind to keep us warm.

And after making sure the valley farms
and pubs had got their rations for the day,
we'd stop at ten for bacon sandwiches
and mugs of tea to keep the cold away.

And when I taste a bacon sandwich now,
lost times come back to me, like M'sieur Proust,
and I'm fifteen, it's cold, but I can smell
the bacon in a cafe in Llanrwst.

GD

LLATAI

Anwylyd, anfonaf latai atat –
neges-beth yn syth at y galon,
lladmerydd anllythrennog fy nheimladau
a'i hunan yn llawn huodledd di-eiriau.

Ond mae cymaint o bethau yn y byd;
p'un fyddai'r dewis gorau,
yr un sy'n crynhoi yr holl ddyheadau,
yr union beth?

Gwylan?

Caseg?

Hydd?

– neu flodyn, efallai?
Draenen wen, neu rosyn, neu gactws –
rhywbeth braidd yn bigog
sydd â'r ddawn i flodeuo 'run fath.

Na.

Anfonaf *handbag* atat:
sgrepan llawn syfrdan
sy'n ddryswch o drugareddau.
Lapiaf fy llythyr mewn croen.

Ei gynnwys:

Syrfièt, â syniadau am gerdd,
mintysen boeth iawn (rhag ofn y daw cusan)
plastyr (rhag ofn y daw codwm).

Rhifau ffôn pobl anhysbys –
hosan, a'i chaddug sidanaidd
yn gryf a llithrig rhwng y bysedd.

MESSENGER

Darling, I want to send you a *llatai* –
a thing, like an arrow, aimed straight at the heart,
an illiterate envoy of feeling,
its very self silently eloquent.

But there are so many things in the world –
which would be best to choose:
the one right thing, full of all longing,
the very thing?

A seagull?

A horse?

A hind?

On the other hand, maybe a flower?
A hawthorn, a rose, a cactus perhaps
– something a little spiky
which knows, all the same, the talent to flower.

No.

No, I will send you a handbag,
a scary sackful,
a rag-bag of bits.
I will wrap my letter in skin.

Its contents:

A serviette, with words from a poem;
an extra strong mint (in case of a kiss);
a plaster (in case of a fall).

Phone numbers of forgotten people,
one stocking, its sooty silk
strong and slip to the fingers.

Cyllell, ac ynddi arf at bob peth
ond yr allwedd sy'n agor dirgelion.
Yn y boced, pumpunt a pesetas o Sbaen.
Yn y boced â sip, pwy a ŵyr?
Yn y gwaelod un, dim ond gwallt a llwch.

Anwylyd, anfonaf hon atat
– sach sy'n llawn fflwcs anghymharus
fydd yn llafar eu sôn amdanaf
– a byrdwn eu cleber fydd:
Gwna fenyw o'r pethau hyn!

EapH

A pocket knife, with a tool for all things
except the key to secrets.
In the pocket, a fiver and pesetas from Spain.
In the inside pocket, who knows?
At the very bottom, only hair and dust.

Darling, I will send you this:
a sackful of odds and ends,
a jumble to prattle about me
and the point of their babble will be:
Make one woman out of these things.

EapH

---

* In mediaeval Welsh literature the poet often sends his love a messenger, called a *llatai*, in the shape of an animal or object.

PENRHYS

Tinsel gan d'athrawes feithrin,
sy'n ei glymu gartre' am geiniog y rhaff
i gwmni o bant.
Addurnaf adain i'th sioe Nadolig 'da hyn.

Can o baent aur o garej cymydog,
fu'n coluro wyneb ei BMW hen –
chi'n neb fan hyn heb BMW,
'waeth pa mor rhydlyd.
Lliwiaf dy adain euraid 'da hyn.

A chareiau a dynnwyd o *status symbol* arall
– hoff bâr o dreinars dy frawd;
fydd e ddim yn eu mo'yn nhw nawr.
Clymaf dy adain ymlaen 'da'r rhain.

Dy bedwerydd Nadolig; casglaf sborion tlawd
i wisgo anllygredigaeth am dy gnawd.

*   *   *

O Ffynnon Fair* cei weld y cwm yn wyrdd,
heb weld y caniau gwag ar ochrau'r ffyrdd;
cei synnu at dy *garitas* dy hun,
yn caru miloedd, heb adnabod un.

O Ffynnon Fair, cei weld ar derfyn dydd
y goleuadau ffyrdd yn llaswyr ffydd,
yn rhwydwaith gofal sydd yn cydio bro;
cei gredu bod 'na drefn i'w chael – dros dro.

O Ffynnon Fair cei weld y cwm i gyd,
a dilyn dy orffennol drwy bob stryd;
man genedigaeth, man priodas, man . . .
Weithiau mae'r gwynt yn brifo'r llygaid gwan.

GD

* Hen gyrchfan i bererinion ar ben bryn yn y Rhondda. Bellach mae drws nesaf i
stad o dai ag iddi enw am broblemau cymdeithasol.

33

PENRHYS

A gift of tinsel from your infant teacher,
woven for a penny a strand
for a firm from away.
I'll decorate your Christmas wings with this.

A can of paint from a neighbour's garage,
left over from tarting up his BMW –
you're no-one here without a BMW,
however rusty –
I'll paint your golden wings with this.

And laces unlooped from another status symbol,
your brother's favourite trainers;
he won't need them now.
I'll use them to tie your costume tight.

Your fourth Christmas on earth, I gather these poor things
to clothe corruptibility with angel wings.

*   *   *

From Ffynnon Fair* the Rhondda Fawr looks green;
the empty cans lie in the hedge unseen;
here you can revel in your charity;
knowing no-one, loving all you see.

From Ffynnon Fair, the lights at close of day
are like the beads strung on a rosary,
a chain of care that keeps our loved ones near;
you can believe it all makes sense – from here.

From Ffynnon Fair you see the cwm complete;
here you can trace your past through every street:
a place to come from, place to marry, place . . .
Sometimes the wind puts tears upon your face.

GD

* 'Ffynnon Fair', 'Mary's Well', is an ancient site of pilgrimage on a hilltop at Penrhys
in the Rhondda. It now adjoins a housing estate with a reputation for social problems.

ADRODDIAD

Erbyn hyn, mae'n falch gen i ddeud,
mae'r cyfan yn dechrau dod i drefn;
rwy'n dechrau ymgynefino
ag adareiddrwydd.
(Rwy'n teimlo'n awr, ers rhyw ganrif neu ddwy,
fod hedfan yn dod yn haws. Mae'r cydbwysedd
rhwng yr adain dde a'r chwith wedi gwella
a'r broses o lanio'n esmwythach o lawer.
Erodynamig. Dyna'r gair.)

Mae'n gam mawr, edrych yn ôl.
Weithiau, bydd y gorffennol
yn gwasgu yn gas ar fy nghylla,
yn fwled drom sy'n llawn esgyrn a blew,

yn enwedig ar nosweithiau o haf –
ar yr eiliad honno, rhwng cyfnos a gwyll
pan fo'r byd yn rhuthr o rwysg adenydd
a bywyd mor fyr â'r cof am lygoden,
yn wich fechan rhwng dau dywyllwch.

Ond bryd hynny mi fydda' i'n cofio:
doeddwn i ddim yn leicio'r ffordd
y byddai'r gynau sidan pob-lliw
yn glynu wrth fy ystlys yn y gwres
ar y prynhawniau tragwyddol hynny
pan ddodai Llew ei law ar fy nglin.

Ydyn, mae plu yn well o lawer,
yn sych ac ysgafn, fel dail neu flodau.
Dydyn nhw ddim yn dangos y gwaed.
Maen nhw'n haws o lawer i'w cadw'n lân.

EapH

OWL REPORT*

I'm glad to report that by now
things are starting to make some sense;
I'm beginning to get used to
birdishness.
(I've been feeling now, for a century or two,
that flying is getting easier. Co-ordination
between the right wing and the left has improved
and landing has become much, much smoother.
Aerodynamic. Yes, that's the word.)

It's a big step, looking back.
Sometimes the past gets me by the gullet,
weighing down heavy,
a hard pellet, full of hair and bones,

especially on summer nights –
at that second, somewhere between twilight and dusk
when the world is a rush of wings in glory
and life as short as a mouse's memory,
a squeak between one darkness and the next.

It's at times like these I remember:
I never did like the way
the multi-coloured silk gowns
stuck to my sides in the heat
on those endless afternoons
when Llew used to put his hand on my knee.

Feathers are really much better for you.
They're dry and light, like leaves or flowers:
they don't show the blood as much.
It's much, much easier to keep them clean.

EapH

* In the Fourth Branch of the Mabinogion Blodeuwedd, the woman made of
flowers, is turned into an owl as a punishment for her adultery.

Y MYNYDDOEDD

Digiais wrth eich tawedogrwydd,
yn troi wyneb caregog ar fy nghwestiynau,
yn aros yn ddi-ymateb gerbron fy nryswch;
gwacter didaro'r wybren uwch fy mhen,
y gwynt digysur ar draws y waun
a hoglau anwybodus blodau'r grug,
a rhegais eich difaterwch fel glaslanc dig.

Bellach, pan ddof atoch,
yn dwyn fy ngofidiau fel ebyrth i'r uchelfannau,
a'r anadl yn fyrrach,
a'r llwybr yn arwach,
eich tawedogrwydd yw'r hyn a geisiaf.
Cynghorion tawelwch y tarth ym mrigau'r rhedyn,
dealltwriaeth ddi-eiriau cyffyrddiad y ddaear,
a gwerthfawrogaf nawr yr ymatal drud
sy'n gwrando poenau dyn a chadw'n fud.

GD

THE MOUNTAINS

Your silence angered me,
meeting my questions with a stony face,
remaining impassive before my pain.
The emptiness of the sky,
the coolness of the wind across the moor,
the indiscriminate heather scents,
and, like an angry son, I cursed your stark indifference.

Now, when I come to you,
carrying my cares to the high country like sacrifices,
my breath shorter, the path more rocky,
it is your very silence that I seek:
the quiet counsels of the mist among the ferns,
the wordless empathy of the earth's touch,
and I appreciate, now, the wise restraint
that keeps its silence before man's complaint.

GD

DEFNYDDIOL

Ys gwn i beth ddigwyddodd i hen fenywod fy mhlentyndod?
Eu hetiau ffwr, eu llyfrau emynau parod,
a'u cariad yn wasgfa boeth
o frethyn cras a broitsys pigog?

Gwingwn a llithrwn o'u gafael
â chusan y froits yn glais ar fy moch.
Y tu ôl i'w ffws a'u hanifeiliaid marw
roedd hoglau tristwch yn biso sur.

'Cariad yw cariad,' dwrdiai fy mam,
'beth bynnag fo'i oglau,
waeth pa mor bigog.'

Ers hynny, cerais
a chefais fy ngharu –
cariad cysurus, weithiau,
yn llac a chynnes fel hen gordŵroi;
cariad arall fel llenni net
sy'n dangos mwy nag a guddiant;
un cariad fel brathiad rhaff
a ysai ac a losgai fy nghnawd.

Dyma'r cariad a garwn:
cariad sydd fel cynfasau
o liain Iwerddon, gant y cant
eu gwead yn llyfn a chryf
heb oglau arnynt ond glendid a phowdwr;
cynfasau â digon o afael a rhuddin,
cynfasau na fydd yn ildio pwyth
pan glymaf nhw'n rhaff hir gwyn at ei gilydd,
eu taflu o'r ffenest, a diflannu i'r nos.

EapH

REALLY USEFUL

What happened to the chapel ladies of childhood?
The fur hats, the ever-ready hymn books,
and their love, a hot squeeze
of rough tweed and spiky brooches?

I squirmed away from their hugs,
brooch-spikes a flowering bruise on my cheek.
Behind their fuss, the dead animals
the smell of their sadness was sour like piss.

'Love is love,' scolded my mother,
'whatever it smells like,
however spiky.'

Since then, I've loved.
I've been loved.
An easy love at times,
saggy and baggy like old corduroy;
other loves like net curtains
showing more than they were trying to hide.
One love was a biting rope,
it burnt and ate my flesh.

This is the kind of love I'd like:
a love like bedsheets,
Irish linen, one hundred percent,
smooth textured, strong,
smelling of nothing but fresh air and powder:
sheets with backbone,
that don't yield a stitch
when I tie them together, a long white rope,
shimmy down through the window, make off in the night.

EapH

ROUGH GUIDE

Mae'n digwydd yn anorfod,
fel dŵr yn dod o hyd i'w lefel,
ond bob tro yr agoraf lawlyfr teithio
rwy'n hwylio heibio'r prifddinasoedd a'r golygfeydd,
ac yn tyrchu i strydoedd cefn diolwg y mynegai,
a chael fy mod yn Ffrainc, yn Llydäwr;
yn Seland Newydd, Maori;
yn yr Unol Daleithiau – yn dibynnu ar ba ran –
rwy'n Nafacho, yn Cajwn, neu'n ddu.

Y fi yw'r Cymro Crwydr –
yn Iddew ymhob man.
Heblaw, wrth gwrs, am Israel.
Yno, rwy'n Balestiniad.

Mae'n rhyw fath o gymhlethdod, mae'n rhaid,
fy mod yn codi'r grachen ar fy *psyche* fel hyn.
Mi dybiaf weithiau sut beth a fyddai
i fynd i un o'r llefydd hyn
a jyst mwynhau.

Ond na, wrth grwydro cyfandiroedd y llyfrau
yr un yw'r cwestiwn ym mhorthladd pob pennod:
'Dinas neis. Nawr ble mae'r geto?'

GD

ROUGH GUIDE

It happens inevitably,
like water finding its level:
every time I open a travel book,
I sail past the capital cities, the sights,
and dive straight into the backstreets of the index
to find that in France, I'm Breton;
in New Zealand, Maori;
in the U.S.A. – depending on which part –
I'm Navajo, Cajun, or black.

I'm the Wandering Welshman.
I'm Jewish everywhere.
Except, of course, in Israel.
There, I'm Palestinian.

It's some kind of a complex, I know,
that makes me pick this scab on my psyche.
I wonder sometimes what it would be like
to go to these places
and just enjoy.

No, as I wander the continents of the guidebooks,
whatever chapter may be my destination,
the question's always the same when I arrive:
'Nice city. Now where's the ghetto?'

GD

AUR

Pan o'n i'n ferch, yn ôl y si,
roedd aur o dan ein caeau ni

ac esgyrn dynes yno 'nghudd
mewn gwely tywyll dan y pridd,

a gwir y sôn bod ôl y swch
yn gadael dafnau aur yn drwch

mor fân a main â rhisgl pren
neu'r cwmwl gwallt oedd am fy mhen.

Wfftio wnaeth O, ac yn ein gwledd
fy nwrdio i uwchben y medd,

ac wfftio eto pan ddôi'n ôl
o'r farchnad wedi cael llond côl,

a bathu cleisiau hyd fy nghroen
nes bod fy myd yn ias o boen,

ond canu wnâi yr aur o hyd
mewn bedd dan fryn ym mhen draw'r byd

a rhywsut aeth ein bywyd bron
wrth wrando ar ei hen diwn gron.

*   *   *

Y gwŷr bonheddig ddaeth ffordd hyn
a phlannu'u rhofiau yn y bryn

a dweud bod bedd yn llawn o aur
yn ddisglair loyw fel yr haul,

a bod y llygod bach i gyd
yn plethu aur i leinio'u nyth

43

GOLD

They used to say that underneath our fields
were the bones of heathen queens, tricked out
for some terrible wedding. They said that every spring
the plough would throw up lozenges of gold
delicate as tree-bark or a baby's thumbnail.

Arkady scoffed. But at our wedding-feast
his grandmother broke bread above my lap
wishing us wine and wealth and many children.
The night was sluttish with stars. My bridal veil
let in their light in tiny, glittering points.

I got the wine, all right. It roared
out of my husband's mouth on market days
when he'd bartered the goat and kid away for drink.
And as his palm
was franking my legs with bruises, dull as florins
it sang a song of gold, of striking lucky.

Well, I've grown old
waiting for Arkady to bring home the bacon
but he never did get round
to the salt and necessary coin of every day.

And now they say it was there all the time,
that even the field-mice wove it into their nests,
spangling their darkness with a little glory.

Such richness. I like to think of it like this:
year after year
unravelling ligatures, letting leather rot,
freeing the lunulae of frozen metal

a heno mae fy ngwallt yn wyn.
Rwy'n adrodd stori wrthyf f'hun –

am fywyd y frenhines gaed
yn barod at briodas waed,

y sidan coch yn garpiau i gyd
a'i chnawd yn pydru 'nôl i'r pridd

a dim ar ôl i'n llygaid ni
ond baw ac aur lle buodd hi.

EapH

until there is nothing left of her but a pattern:
the shape of a woman picked out in earth and light.

EapH

TOMB RAIDER

*('Can there be a Welsh Lara Croft?' – Jean-Jacques Lecercle)**

Fe heriwn ymerodraethau,
fe heriwn Microsoft,
fe ailsgrifennwn raglen
rheoli Lara Croft.

O'n geto electronaidd
fe ddaw ar newydd wedd,
nid rheibiwr beddi mwyach
ond rheibiwr amgueddfeydd!

Nid lleidr beddi'r llwythau,
nid epil lord o Sais,
ond merch y gorthrymedig
â'u llafnau yn ei llais.

Ar ran pob hen ddiwylliant
a phob lleiafrif gwan,
fe ddaw i'r prifddinasoedd
i ddial ar ein rhan.

* Hwn oedd teitl darlith a draddododd yr athronydd Marcsaidd o Ffrainc, Jean-Jacques Lecercle, yng Nghynhadledd 'Chwileniwm' Prifysgol Caerdydd, yn Chwefror 2000, a fu'n trafod llenyddiaeth a thechnoleg. Lara Croft yw enw'r cymeriad yn y gêm gyfrifiadur boblogaidd *Tomb Raider*. Merch yr Arglwydd Croft yw hi, a'i nod mewn bywyd yw anturio yn nhwneli hen feddrodau'r Eifftiaid er mwyn dwyn trysorau, gan saethu pob gelyn a goresgyn pob anhawster y daw ar eu traws. Dadl Lecercle oedd na fyddai modd creu Lara Croft wir Gymreig oherwydd hyd yn oed os troswyd iaith y gêm i'r Gymraeg fe fyddai gweithgareddau'r prif gymeriad yn hanfodol ymerodraethol ac anghymreig. Holais ef a fyddai modd newid ymddygiad y cymeriad hefyd i'w wneud yn fwy cydnaws â lleiafrif, a'r ffantasi yma a esgorodd ar y gerdd.

TOMB RAIDER

('Can there be a Welsh Lara Croft?' – Jean-Jacques Lecercle) *

Let's challenge every empire,
let's challenge Microsoft
and redesign the software
controlling Lara Croft.

From our electronic ghetto
the heroine of our dreams
not stealing from our temples,
but raiding *their* museums!

Not snatching tribal treasures,
no English lordship's gel,
but daughter of the dispossessed
who'll give the white men hell.

For every ancient culture
and every subject race
she's coming to the capitals
in vengeance, not disgrace.

* The title of a lecture by the French Marxist philosopher Jean-Jacques Lecercle at the Chwileniwm conference on literature and technology which was held at Cardiff University in February 2000. Lara Croft is the Tomb Raider of the eponymous computer game, the daughter of an English Lord who, slung around with weaponry, ventures into the catacombs of ancient cultures to steal their treasures. Lecercle argued that even if a Welsh-language *Tomb Raider* game were devised, it would only be linguistically Welsh and not culturally Welsh as the actions of the character would still be inherently imperialistic. I suggested to him that perhaps the character's actions could also be adjusted to a minority viewpoint, and this fantasy led to the poem.

Mae'n dod i gipio'n chwedlau
o ffeiliau'r ysgolhaig.
Mae'n cario dryll dihysbydd.
Mae'n groenddu. Mae'n Gymraeg.

Creiriau'r Celt a'r Eifftiad,
trysorau'r Nafacho;
chwelir eu cistiau gwydr,
dygir nhw'n ôl i'w bro.

Fe ddrylliai'r drysau haearn;
fe loriai filwyr lu.
Hei, Honci! Dyma Lara
i hawlio'n heiddo ni!

GD

She's coming to the archives
to steal our legends back.
Her gun needs no reloading.
She's Welsh-speaking. She's black.

She'll smash their glass containers
and pay us what they owe –
treasures of ancient Egypt
of Celt and Navaho.

She'll smash the iron gateways,
she'll blow your guards away.
Hey! Honky! Here comes Lara.
It's payback time. Today.

GD

GLAS
(er cof am Derek Jarman)

Crwban o ddyn ar y bocs. Mae ei groen
yn gynoesol, hynafol o hen, fel pe bai
rhyw wynt poeth wedi ei ysu yn blisgyn,
yn rhisgl heb sudd a heb sawr.
Crwban o ddyn heb gragen, sy'n hercio
ei ben yn ddi-ddal tua'r camera
i weld ydi'r byd yn dal i fod yno.

Mae arna' i gymaint o eisiau cyffwrdd ag e –
estyn, rywsut, i mewn i'r teledu,
a llyfnu'r cawgiau dan ei lygaid â'm bawd,
gosod blaen bys ar femrwn ei foch
a dweud un 'diolch' yn dawel

– am sidan syberwyd, am sglein,
am bowdwr a phaent, am boen,
am emau, am olau cannwyll,
am rawnwin, am fefus, am win,
am felfed, am wres anadl,
am ormodedd, am orawen. Am oreuro
du a gwyn y sgrîn ag enfys ei weld –

llithrodd y lliwiau o un i un
a dim ond glas sydd ar ôl nawr, glas
sy'n las go iawn, fel yr awyr neu'r môr,
y mwg sy'n troelli o ffag cynta'r bore,
petrol ar hewl wedi cawod o law,
y cwdyn halen yng ngwaelod bag crisps –

ond glas sy'n las hefyd
fel clawr ffeil, fel sgert nyrs,
fel gŵn sbyty, fel gwythïen,
fel min cyllell, fel hen glais,
fel graean yng ngweflau llanw ar drai,
fel y lliw sydd rhwng y meirw a'r byw,
fel y gwydr caled sydd rhyngom ni'n dau.

EapH

51

BLUE
(in memory of Derek Jarman)

There's a tortoise-man on TV. His skin
is so old it's ancient, eternal, as if
seared to a husk by a sierra wind,
a peel without zest or sap.
A tortoise-man without a shell, whose head
jerks, unstoppably, towards the camera
– looking to see if the world's still there.

I want to touch him –
to reach, somehow, inside the TV,
my thumb longing
to smooth out the hollows under his eyes.
I want to place one finger on his papyrus cheek
and say thanks, silently

– for the gleam of silk, for glamour,
for powder and paint, for pain
for gemstones, for candlelight
for grapes, for strawberries, for wine,
for velvet, for a warm breath,
for excess, for elation. For gilding
the black and white screen with a rainbow eye –

colour by colour they fade and run
and there's only blue left, a blue
that's as true as the sky or the sea,
like the smoke rising from the morning's first cigarette
like petrol on a rained-on road,
a blue like the twist of salt in a packet of crisps –

blue too like a cardboard file, like a nurse's skirt,
a surgical gown, an artery,
a knife's edge, a fading bruise,
like small grit sucked on by the tide
like the colour between the living and the dead
like the hard screen between you and me.

EapH

52

CALAN HAF

Mae'r haul uwch Bae Caerdydd ar ei anterth
ac mae Cŵl Cymru'n toddi yn y gwres;
y *Saabs* heb do yn sgleinio, yn diflannu,
pob siwt tri-chan-punt yn diosg ei hun,
yn treulio fel dilledyn,
y sbectol haul Gucci yn gwingo,
yn fflachio'n ddim,
y ffonau symudol yn symud i ddifancoll,
y cardiau busnes yn cyfnewid dwylo â diddymdra,
y cwmnïau digidol yn pwyso'r botwm dileu;
pob platfform aml-gyfrwng,
pob prosiect rhyngweithiol,
pob menter rithwir,
pob dot com yn tarthu'n derfynol,

gan adael
pob hunan heb gyrhaeddiad,
pob sylwedd heb ei ddelwedd
yn ddiamddiffyn yn yr heulwen braf,
galanas allanolion galan haf.

GD

53

SUMMER SOLSTICE

The sun above Cardiff Bay is at its height
and Cool Cymru's melting in the heat;
the open-top Saabs shining, vanishing,
each three-hundred-pound suit divesting itself,
wearing away,
the Gucci sunglasses wincing,
flashing to nothing,
the mobile phones moving to oblivion,
the business cards exchanging hands with annihilation,
the digital start-ups pressing 'delete';
each multi-media project,
each virtual venture,
each dot com disappearing for ever,

leaving
each self without its successes
each essence without its image
all undefended in the summer sun,
externals vapourising one by one.

GD

BLODYN

Un swrth yw Sharon. Un bigog, un grin
sydd wedi plygu amdani hi'i hun
yn blisgyn di-ildio, brown
fel rhisgl
castanwydden ola'r hydref.

Mae rhai yn dweud bod ei gwên yn hardd
er yn brin – yn wir, mae'n harddach
o fod fel dŵr mewn anialwch,
ond y gwir amdani yw
na welodd neb ei phetalau gwiw
ers blwyddyn neu ddwy.

Ond rhowch ddiferyn iddi
ar y diwrnod iawn, ym mis tywydd mawr –
deigryn, neu jin, neu law taranau,
ac mi ffrwydrith
yn llond cwpan o rosyn gwlithog
sy'n troi ei hwyneb llyfn tua'r llif
ac yn sugno'n hy o lygad y storm.

EapH

FLOWER

Sharon's a sad bag. Spiky, screwed up,
folded in on herself
in a tough brown shell
like the bark
on autumn's last conker.

Some say she has a pretty smile
though it's rare – tell the truth, it's prettier
for being scarce like rain in a desert
but nobody's seen
her petals unfold
for quite a while.

But give her a drop to drink
when the weather's right, in the monsoon season –
tears, or gin, or tempest water –
she explodes,
a cupful of dew and roses,
turns her plump, smooth face to the rain
and drinks, fearless, from the eye of the storm.

EapH

Y DDAWNS

Mae'n dawnsio, i nodau'r pibydd cornel-stryd,
i mewn ac allan o goesau'r siopwyr,
a'u dwylo'n llawn dyledion.

Ei bydysawd pedair-blynedd yn gylch caeëdig o gân
yng nghanol masnach ddynol y dyrfa.
Chwyrliasai ei hun drwy rod ei chwarae
i'r byd diamser dan y bryn.

Hercia drwy'r farchnad stryd
ac oed yr addewid o anghytgord ar ei gefn fel côt fudr
wrth lusgo drwy bapurach y palmant
a chloffi
i ganol llonydd cylch o nodau cain.

Ac fe oeda,
a gwylio hi'n gweu rhwyd ei rhedfa o'i amgylch ef
i'w glymu ef â'i gwibiadau,
i'w rewi ef â'i rhythmau.
A dechreua ef yn araf
i dwrio ym mhoced ei gôt fudr,
a thynnu ei geiniogau olaf –
mae'r ddawns yn peidio –
a'u rhoi ar ei chledr lân.

Ennyd cyfnewid,
dau ben bywyd,
dau begwn bendithion byd.

Ac ymlaen â'i dawns,
i dôn y chwiban dun;
ac ymlaen ag ef
i hercio ymaith drwy'r strydoedd llawn.

THE DANCE

She's dancing to the notes of the street-corner penny-whistle,
in and out of the legs of the shoppers,
their carrier bags loaded with credit.

Her four-year-old cosmos a closed circle of song
among the human commerce of the crowds.
She has whirled herself through the orbit of her play
to the timeless world under the hill.

He shuffles through the market street,
wearing his seven decades of discord like a dirty coat;
scuffing through the pavement's papers,
he limps
into the still centre of a circle spun from sound.

And pauses,
watching her weave her web around him
detaining him with her dance,
rooting him with rhythm.
And slowly he delves in the pocket of his coat,
pulls out his last coins,
places them –
her dance pauses –
in her clean palm.

A moment's exchange;
the north and south of life.

And away she goes, dancing again,
to the penny-whistle's tune;
and away he goes
slowly through the crowded streets.

Egnïoedd anghymharus,
yr electron a'r proton,
yn gyferbyniol, yn gyd-ddibynnol;
hithau yn cydio'n dynn yng ngheiniog cariad,
ac yntau â thragwyddoldeb yn ei ddwylo gwag.

GD

Opposing energies,
electron and proton;
incompatible, interdependent:
she holding tight to the penny of love,
and he with eternity in his empty hands.

GD

UNWAITH

Unwaith
yn y tiroedd pell
yn yr oesau tywyll
roedd brenin
– brenhines hefyd –
hanai ef o lwyth y ceirw
hithau o lwyth y cesyg a'r geifr
roedd ei chorff yn wyn
fel stremp hir o laeth
yntau mor braff â chorn
priodwyd hwy yn saith mlwydd oed
byw hanner canrif ynghyd, a magu
deuddeg o blant
eisteddai hi yn ei siambr yn gweu
taranai ef yn y goedwig fawr
ac er na charent ei gilydd
ei wallt ef welai hi wrth nyddu'r gwlân
ei chroen hi welai ef wrth dynnu'r saeth
o ystlys yr ewig a laddodd

yn y diwedd
wedi'r aur a'r efydd a'r gwin lliw gwaed
a'r sidan, a'r llysgenhadon
o'r wlad lle tyfai'r sinsir a'r indigo
bu farw'r brenin a'r frenhines
a'u cnawd yn gyfrol hir o flynyddoedd

claddwyd hwy
yn yr un bedd
hithau ym mantell ledr y cesyg
yntau, yn ôl defod llwyth y ceirw
â chyrn am ei ben
rhai gwydn fel dur

a disgynnodd y glaw ar eu bedd.

EapH

ONCE

Once
in a far away land
in an age that was dark
there was a king
– a queen, as well –
his people the deer people
hers, the tribe of horses and goats
her body was white
like a long splash of milk
his as hard as horn
they were married at seven,
lived fifty years together,
and raised
a dozen children
she sat in her chamber weaving
he thundered through the great forest
and though they did not love one another
when she span her wool she saw his hair,
for him, it was her skin
when he drew the spear
from the belly of the hind he'd slaughtered

in the end
after gold and bronze and blood-coloured wine
and the silk, and all the ambassadors
from the land where the ginger and indigo grew
the king and his queen died
their flesh an unravelling volume of years

they were buried together
in the same grave
she in the leather mantle of her people
he, according to the deer tribe's custom
with horns on his head
as strong as steel

and the rains washed over their grave.

EapH

AR Y RHANDIR

Dyna nhw,
yr hen ŵr o'r gorllewin,
y llances o'r de,
yn tendio, fel arfer,
eu rhandiroedd cyfagos
ar fore o wanwyn oer.

Yn cyfnewid sbrigau o eirfa,
rhwng ei famiaith hanner-marw
a'i hail-iaith hanner-byw,
wrth iddynt feithrin tyfiant
ym mhridd caled y cwm.

Y Gymraeg yn eu clymu,
mor ysgafn, mor hanfodol
â tharth eu hanadl.

Derwen ddrylliedig diwylliant
yn hadu yn ei henaint;
geneteg gwareiddiad yn gwrthod marwolaeth,
a mynnu bod.

GD

ON THE ALLOTMENT

There they are again,
the old man from west Wales,
the young girl from the south;
tending, as usual,
their neighbouring allotments
on a cold morning in spring.

Exchanging sprigs of vocabulary
between his half-dead mother tongue
and her half-alive second language,
as they nurture growth
in the valley's hard soil.

The Welsh language holds them:
as light, as essential,
as the vapour of their breath.

The blasted oak of a culture,
seeding in its old age;
a civilisation's genes disdaining death,
demanding to live.

GD

PWYTHO
(o gyfres 'Rhiannon')

Wrth i ymylon y ffrâm freuo, rwy'n cofio
diwrnod o wyn a melyn, awyr ac aur.

Dôl, blodau, adar. Y borfa'n bali gwyrdd.

Pwythodd rhyw law y ceffyl a minnau i'r llun.
Clywn y nodwydd yn gwanu trwydda' i.
Brodiodd y gyrlen ola' yng nghynffon y march
a'n gosod yno, mewn gwe o edau ddisglair.

Aeth canrif heibio. Clywn garnau tu cefn,
ac yna gwaeddodd.

Rhwygodd yr eiliad
fel cleddyf yn llathru trwy sidan.
Llaciodd y pwythau, cerddais
allan o'r darlun, yn syth i lygad yr haul.

EapH

STITCHING
(from the 'Rhiannon' sequence)

The framing borders fray. I remember
a day of white and yellow, air and gold.

A meadow, flowers, birds. The greensward, silk.
An unseen hand stitched in me and the horse.
I felt the needle piercing my heart.
Embroidering the last curl in my mare's tail,
it caught us there in a shining web of threads.

A century passed. I heard hoofbeats behind me
and then he shouted.

The moment ripped apart
like a sword slashing through silk.
The stitches gave. I walked
out of the picture, into the eye of the sun.

EapH

GWREICHIONEN

Dyma fo, dyn y fwyell,
y dyn a dorrodd edafedd gyrfaoedd degau
heb bleser,
ond heb boeni,
yn broffesiynol, yn boléit,
ond mor sicr â sgalpel.

Dyma'r un a gymerodd awdl faith o staff
a'i golygu fel prifardd
nes ei bod yn gywydd tynn.

Wrth drafod polisi corfforaethol
dros y cwrw cyfrif-treuliau,
sylwaf ar ei lafn o wyneb:
nid oes arno filigram o bwysau gwastraff
na'r un man tyner,
nid yn y geg wellaif,
nac yn y llygaid cyllyll.

Nes imi sylwi,
ar liw-haul ei groen,
yn llyfn a brown fel bwrdd 'stafell gynhadledd,
fflach o oleuni.

Goleuni,
yn wincio arnaf yn ysbeidiol,
ond yn anwadadwy,
o ryw lychyn bach o gliter ar ei foch.

Gronyn o wallt parti merch,
adawyd gan y cusan boreol.

Ac wrth inni sgwrsio am gostau,
ac am y brwydrau bwrdd-rheoli
a fydd mor anghofiedig flwyddyn nesa'

SPARK

Here he is, the axeman,
the one who cut the threads of scores of careers
without pleasure,
but without remorse,
professional, polite,
but as sure as a scalpel.

This is the one who took a long epic of staff
and edited it like a master
down to a few tight quatrains.

As we discussed corporate policy
over the expense-account beer,
I examined his blade of a face:
not a milligramme of excess weight
nor any trace of softness:
not in the mouth's shears
nor the eyes' knives.

Until I noticed,
on his tanned skin,
as brown and as smooth as a conference table,
a flash of light.

Light,
winking at me fitfully,
but unmistakeably,
from a tiny speck of glitter on his cheek.

A trace of a daughter's party-hair
left from the morning kiss.

And as we discussed costs,
and the boardroom battles
that will be as forgotten next year

â gwleidyddiaeth Bysantiwm,
mi wyliais y wreichionen anfeidrol fechan honno
yn chwarae mig â'r haul.

GD

as the politics of Byzantium,
I watched that infinitesimal spark
playing hide and seek with the sun.

GD

BYWYD LLONYDD

Saffrwm porffor
a'i dafod mor felyn â chanol ŵy Pasg;
goleuni'r gogledd
yn ias las o iâ
ar y mwg enamel gwyn.

Ti yw fy llun o Holand:
yr agen fach sy'n gollwng goleuni,
gan droi pob dim
yn gyffredin o ddiarth.

EapH

STILL LIFE

A purple crocus
its stamen creme-egg yellow;
northern light
a shiver glaze
on the white enamel mug.

You're my Dutch painting:
the place the light gets in,
making everything strange
seem ordinary.

EapH

LLUN CASGLU

Ddegau o weithiau, mae'n rhaid,
y bûm yn eu hel,
y petryalau bach sgleiniog,
yn loyw â bywyd a ddaeth i ben.

A phob un yn gwenu'n ddibryder arnom
– rhai â gwenau a bliciwyd bob tro
o albwm y teulu
gan y bysedd ffwndrus
i'w hanfarwoli am wythnos
ar bapur rhad rhecsyn y cwm.

Damweiniau, tanau, llofruddiaethau,
clefydau sydyn, gwrthdrawiadau.
A'r gwenau'n herio amryfal ffurfiau angau
fel pe dewisid eu gloywder bywiol
yn unswydd er mwyn dyfnhau düwch eu diwedd.

Mae'n amser maith ers hynny, nawr,
ond gwelaf yr wynebau o hyd,
bob tro'r edrychaf drwy albwm fy nheulu,
bob tro y daw'r pecyn o luniau newydd o'r siop.
Gwelaf wynebau anwyliaid,
gwelaf fy wyneb i,
a phob gwên yn un derfynol,
wedi'i fframio gan bennawd du.

GD

COLLECT PICTURE

I must have done it scores of times,
collected them,
the little glossy rectangles
shiny with a life that had ended.

Each one smiling carefree at us
– it was always the ones with smiles
that were plucked from the family album
by the fumbling fingers
for a week's immortality
on the cheap paper of the valley rag.

Accidents, fires, murders,
sudden illnesses, collisions.
And the smiles defying the manifold forms of death
as though their shining vitality had been chosen
simply to deepen the darkness of their demise.

It's a long while since then,
but I see their faces still,
each time I look through my family album,
each time the packet of new snaps comes from the shop.
I see loved ones' faces,
I see my own face,
with every smile the final one
framed by the headlines in black.

GD

YN NHŶ FY MAM

Yn nhŷ fy mam y mae llawer o drigfannau,
parlyrau sy'n ddawns o awyr a goleuni –
y llestri te ar y lliain yn barod
a'r llenni ar agor i ddangos golygfa
o'r môr, heb 'run llong. Coridorau
brown, tywyll sy'n dirwyn am filltiroedd
ar filltiroedd i'r unlle, cyn gorffen, yn ffwr-bwt,
mewn sgyleri lle mae'r llestri yn simsanu ar y silffoedd,
a'r pibau yn grwgnach a rhefru yn flin.
Grisiau sy'n chwyrlïo i lawr, lawr, lawr
heibio lluniau o'r teulu ar y welydd ffloc
– *Sbïa, dyna Nain! Mae 'na wenci rownd ei gwddf hi!* –
nes iddyn nhw gyrraedd y man drwg hwnnw,
y seler sy'n llawn o esgyrn llosg,
o benglogau plant fel plisgyn ŵy.

Heno rwy' am ei fforio hi i'r 'stafell folchi,
Antarctig bychan o wydr a marmor.
Dwi 'di bod 'ma o'r blaen, i chwarae gyda'r sebon,
ei saethu trwy fy mysedd
er mwyn llithro gadael
llwybr malwen o ddagrau, gan feddwl yn ddistaw bach:
Os llwyddaf i roi fy mhen dan y tap
bydd drip-dripian y dŵr yn gwella fy nghlwy'.

Rwy' 'di dod i'r tŷ hwn bob nos ers yr angladd,
wedi cerdded a dawnsio a chrwydro trwy fannau
â'u daearyddiaeth yn newid ar adenydd y gwynt.
Rwy'n dwlu ar y gegin gefn, ar y ddreser
sy'n gwlffyn solet o dderw du,
yn debycach i dorth o fara brith na dodrefnyn,
ac enw fy ewythr wedi'i naddu i'w hochr.
Mae'r cŵn tsieini Stafford
yn sefyll fel sowldiwrs uwch y platiau gleision,
a'u llygaid yn eirin surion o genfigen.
Weithiau, os ydw i'n lwcus, mi wnân nhw siarad â mi:

75

IN MY MOTHER'S HOUSE

In my mother's house there are many mansions,
parlours all full of air and light
where the table is set for afternoon tea
and the shutters always open outwards
to a view of the sea without ships; dark-brown passages
that go on for miles, hot and airless,
ending in sculleries where the crockery totters
and something major's gone wrong with the plumbing.
Staircases that spiral down down down
past family photographs on flock-papered walls
– *Look, there's my grandmother. There's a weasel on her shoulder!* –
till they get to the bad place,
the cellar that's full of charcoaled bones,
of children's skulls thin as blown eggs.

Tonight I'm trying to get to the bathroom,
a tiny Antarctic of marble and glass.
I've been here before once.
I played with the soap.
I loved the way it shot through my fingers,
leaving a snail's trail of tears behind,
and I thought:
If I could stick my head under the tap
the water might make me feel a little better.

I've been coming here each night since the funeral.
I've walked, danced and wandered through the rooms of this house,
whose geography changes
quick as an hour-glass. I love the back kitchen,
the dresser carved from a hunk of bog oak,
solid and black, more fruit cake than furniture,
with my uncle's initials gouged in its side.
The Staffordshire china dogs
stand guard over the willow-patterned plates,
their eyes as small and jealous as sloes.
Sometimes, if I'm lucky, they'll talk to me:

Mae hi newydd adael. Mae hi yn y coridor. Newydd ei cholli hi
  dach chi! –
– Ac mi wela' i gip ar odre ei sgert.

Un tro, anghofia' i fyth, mi es i i'r parlwr,
ac roedd hi yno, yn eistedd mewn cadair ger y tân.
Estynnodd ei llaw, llaw fechan, llaw telynores,
â'r bysedd yn hir, yn fain ac yn wyn.
Plethais fy mysedd i i'w bysedd hithau.
Ddywedwyd yr un gair. Embaras llwyr
i ni gael ein dal yn cymdeithasu yr ochr draw i'r llen.
Heddiw wn i ddim sut gadewais i'r 'stafell.
Dwi'n chwilio amdani bob tro yr af yn ôl.
Weithiau mae'r 'stafell yno, weithiau 'dyw hi ddim.
Weithiau mae ei chwpan a'i soser ar y bwrdd.
Weithiau mae'r tân yn lludw oer, llwyd.

EapH

She went thataway. You only just missed her. She's in the corridor! –
and I'll catch a glimpse of the hem of her skirt.

Once, I'll never forget it, I went in,
and there she was, in an armchair by the fire.
She stretched out her hands to me, her fingers
a harpist's fingers, slender and white.
I laced my fingers in hers. We said nothing,
each of us embarrassed that we'd been caught out,
fraternising, as it were, the wrong side of the veil.
I can't remember now how I got out of that room.
I look for it each time I go back.
Sometimes it's there, sometimes it isn't.
Sometimes her cup still sits in its saucer.
Sometimes the fire is cold, cold ashes.

EapH

Y BLAENAU / Y Tarddle – the source

Mae'r atgof am y ffermdy'n dal yn gry',
'dyw'r llidiart yn fy nghof byth wedi cau,
er na fu'r lle yn gartre' 'rioed i mi,
dim ond drwy hanes teulu'n ei goffáu. – recollect
Ac eto gallaf weld fy nhaid yn awr,
yn eistedd yn y gegin wyngalch braf, – whitewashed
y drws yn agor draw i sŵn a sawr – smell/scent
tir di-ben-draw Sir Ddinbych yn yr haf.
Ac yma yn y ddinas wydr frau – brittle
lle cuddir hen wirionedd mawn a maen, – peat
daw ennyd pan fo gwaith canrifoedd gau – instant/moment
yn toddi fel y niwloedd ar y waun,
a theimlaf ar fy mraich hen law y pridd
a gwn yr awn yn ôl i'r wlad rhyw ddydd.

GD

Y BLAENAU

The memory of the farmhouse is still clear;
that gate back in my mind is open still,
although the place was never home to me,
and only family stories made it real.
Yet I can see my grand-dad even now,
sitting by that whitewashed kitchen's fire,
the door wide open to the scent and sound
of endless miles of summer Denbighshire.
Now in this bright metropolis of glass
where all the truths of stone and moor are gone,
a time comes when a century of trash
can vanish like the shadows in the dawn,
when on my arm I feel his earthy hand
and know one day I'll go back to the land.

GD

Hen Dŷ Ffarm
The Old Farmhouse

D. J. WILLIAMS   Translated by Waldo Williams

Since it was first published in Welsh in 1953, *The Old Farmhouse* has become a classic of Welsh literature. Its author, D. J. Williams, is renowned for the apparently easy but carefully crafted style of the fireside storyteller in which he relates his memoirs of growing up on a farm in rural Carmarthenshire during the years leading up to the First World War. This volume presents a long overdue reprint of the UNESCO-commissioned English translation by the poet Waldo Williams, which appears here for the first time alongside the original Welsh. It will appeal to non Welsh-speakers, learners and Welsh-speakers alike, offering as it does an opportunity to appreciate both text and translation simultaneously.

'This is undeniably a work of great vividness and charm which deserves to be known to a wider public' Times Literary Supplement

Adargraffiad o un o glasuron hunangofiannol yr ugeinfed ganrif yw hwn. Yn *Hen Dŷ Ffarm*, drwy gymorth cof hen deulu a gysylltwyd â'r un filltir sgwâr ers cenedlaethau a chanrifoedd, cawn gip personol ar ambell agwedd ar fywyd Cymru Fu. Ceir yn y gyfrol hon gyfle i werthfawrogi'r llyfr am y tro cyntaf ochr yn ochr â chyfieithiad ardderchog Waldo Williams na dderbyniodd hyd yn hyn y sylw sy'n ddyledus iddo.

With an introduction by Jim Perrin
Gyda rhagarweiniad gan Jim Perrin

£12.95